我叫 ㄥ丩ㄟ

在 262 幼儿园

这是我的第 2 本书

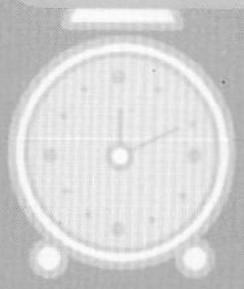

小孩学画

系列丛书 XUELONGSHU

圆形

黑龙江美术出版社

图书在版编目（CIP）数据

圆形 / 李杰编;—哈尔滨:黑龙江美术出版社,2003.9
（小孩学画系列丛书;8）
ISBN 7-5318-1126-X

Ⅰ.圆… Ⅱ.李… Ⅲ.圆形画:简笔画-技法（美术）
-儿童教育-教学参考资料 Ⅳ.J214

中国版本图书馆 CIP 数据核字（2003）第 079610 号

策 划:钟 雷

主 编:李 杰 责任编辑:步庆权
副主编:王 勇 王丽萍 封面设计:稻草人工作室

小孩学画系列丛书

黑龙江美术出版社
（地址:哈尔滨市道里区安定街 225 号 邮编:150016）
全国新华书店经销
哈尔滨地图出版社印刷厂印刷
开本 889×1194 毫米 1/24 印张 40 字数 50 千字
2003 年 9 月第 1 版 2003 年 9 月第 1 次印刷
印数 1-10 000 册
ISBN 7-5318-1126-X/J·1127
定价:80.00 元（1-10 册）

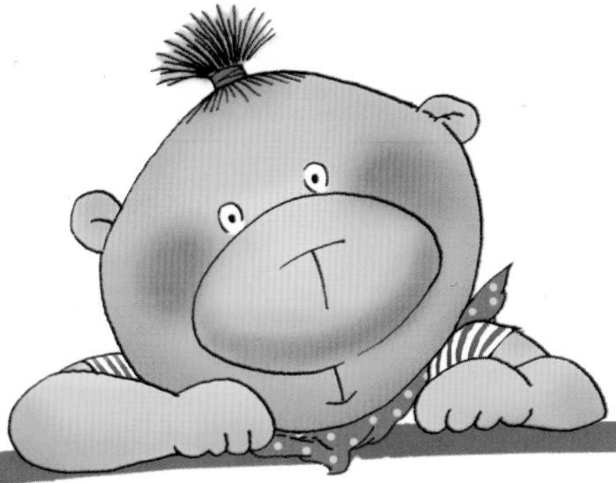

准备工具

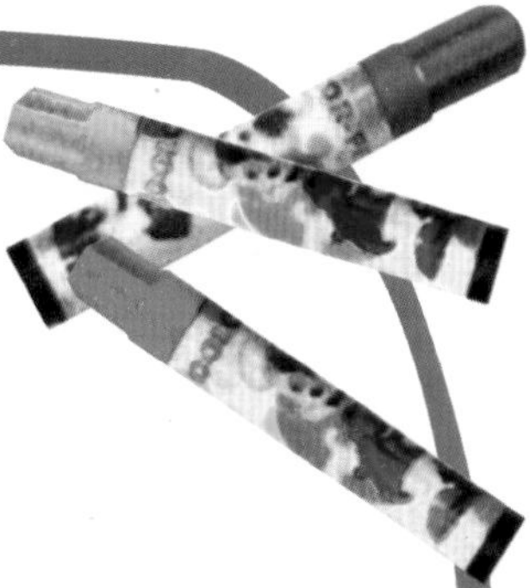

小朋友，你准备好了吗？让这本书带你进入奇妙的绘画世界！工具很简单，只需要准备好水彩笔和白纸就可以了。

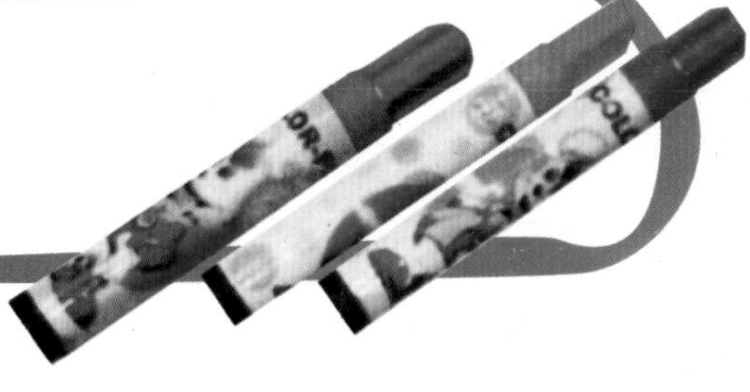

绘画基础

　　要学会绘画,首先要认识各种各样的颜色,以及画好各种基本图形。

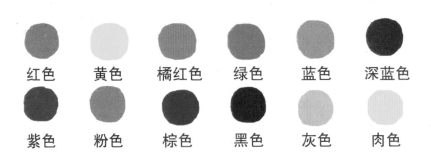

红色　　黄色　　橘红色　　绿色　　蓝色　　深蓝色

紫色　　粉色　　棕色　　黑色　　灰色　　肉色

目录
mulu

基础篇

扇子　　　2

平底锅　　3

悠悠球　　4

水壶　　　5

灯笼　　　6

手表　　　7

救生圈　　8

电视机　　9

气球　　　10

棒棒糖　　11

帽子　　　12

眼镜　　　13

男孩　　　14

女孩　　　15

男人　　　16

樱桃　　　17

西瓜　　　18

苹果　　　19

喇叭花　　20

玫瑰　　　21

雪人　　　22

小鹅　　　23

目录
mulu

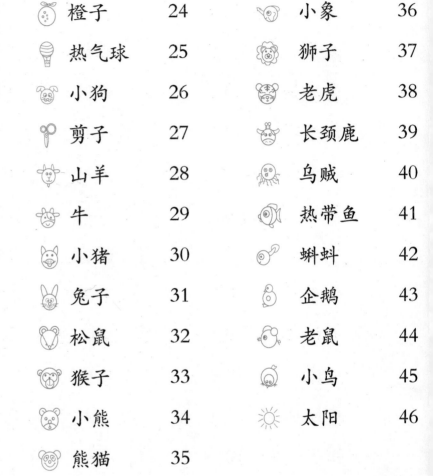

橙子	24	小象	36
热气球	25	狮子	37
小狗	26	老虎	38
剪子	27	长颈鹿	39
山羊	28	乌贼	40
牛	29	热带鱼	41
小猪	30	蝌蚪	42
兔子	31	企鹅	43
松鼠	32	老鼠	44
猴子	33	小鸟	45
小熊	34	太阳	46
熊猫	35		

目录
mulu

提高篇

菠萝	48		蜘蛛	59	
包心菜	49		瓢虫	60	
南瓜	50		甲虫	61	
向日葵	51		螃蟹	62	
公鸡	52		鸽子	63	
母鸡	53		蚊子	64	
小猫	54		松鼠	65	
小猪	55		蝴蝶	66	
小马	56		青蛙	67	
兔子	57		猫头鹰	68	
蜗牛	58		老虎	69	

目录
mulu

剑龙	70		电风扇	82
小熊	71		地球仪	83
熊猫	72		火车头	84
水牛	73		摩天轮	85
大象	74		直升机	86
鲤鱼	75		飞碟	87
热带鱼	76		组合画	88
海螺	77		画上你满	
老鼠	78		意的画	91
乌龟	79			
自行车	80			
闹钟	81			

基础篇

fan

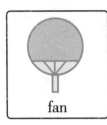

shàn	zi
扇	子

1 —— 2

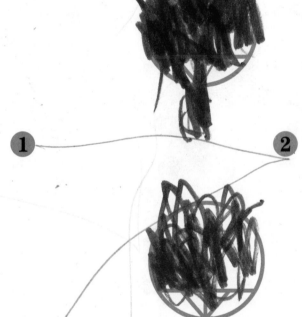

3 —— 4

píng	dǐ	guō
平	底	锅

pan

请按所标步骤学画图形，并把画好的图填上颜色。

①

②

③

④

请按所标步骤学画图形，并把画好的图填上颜色。

Yoyo-ball

yōu	yōu	qiú
悠	悠	球

1

2

3

4

水壶

pot

请按所标步骤学画图形，并把画好的图填上颜色。

1

2

3

4

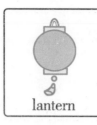

lantern

dēng	long
灯	笼

①

②

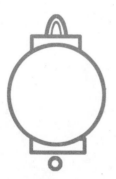

③

④

shǒu	biǎo
手	表

watch

请按所标步骤学画图形，并把画好的图填上颜色。

1

2

3

4

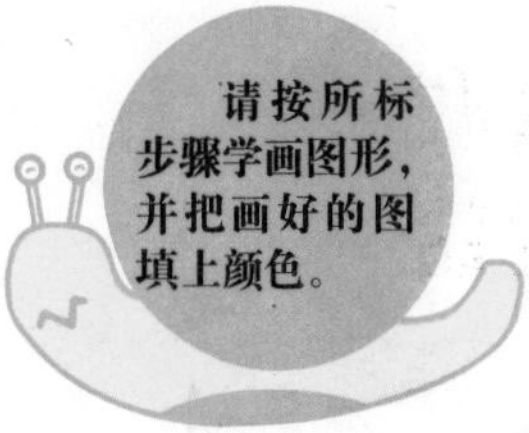

请按所标步骤学画图形，并把画好的图填上颜色。

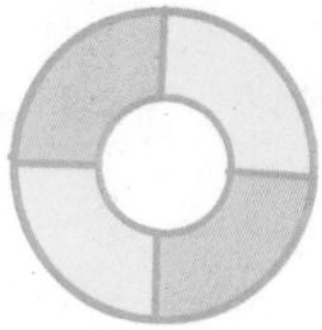

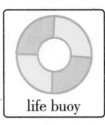

life buoy

jiù	shēng	quān
救	生	圈

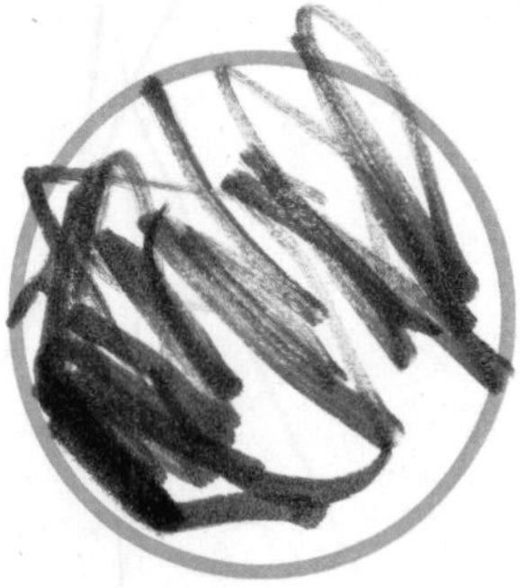

1

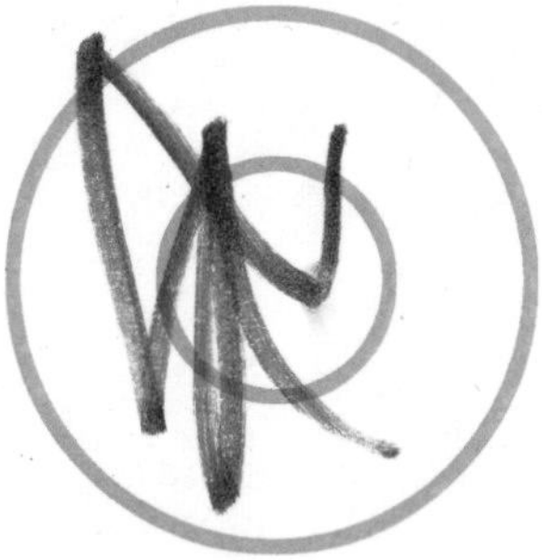

2

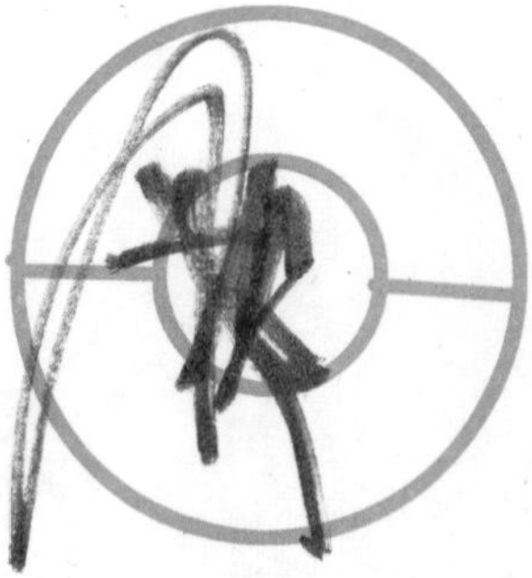

3

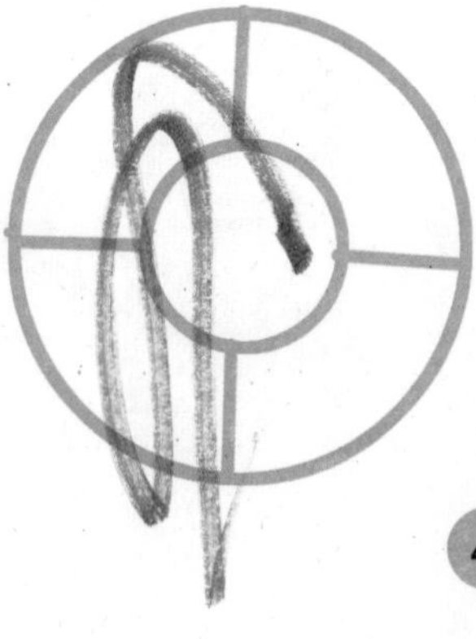

4

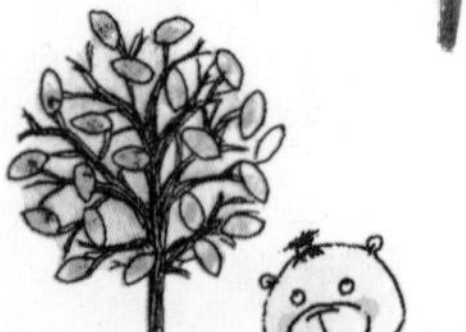

diàn	shì	jī

电视机

television

请按所标步骤学画图形,并把画好的图填上颜色。

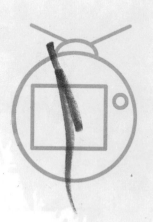

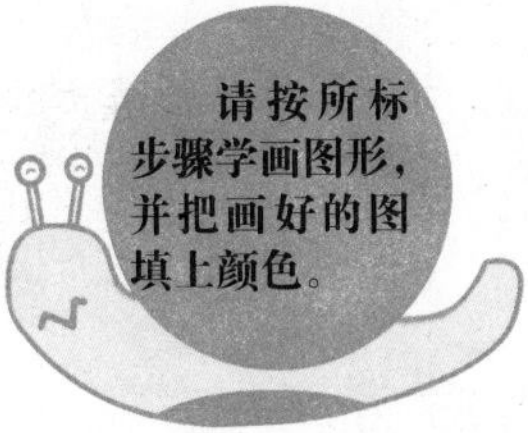

请按所标步骤学画图形，并把画好的图填上颜色。

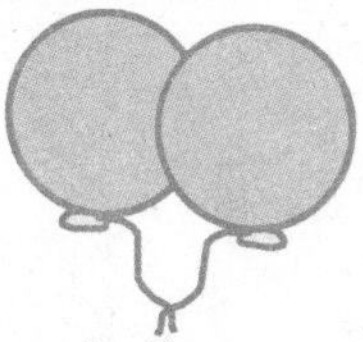

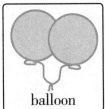

balloon

qì	qiú
气	球

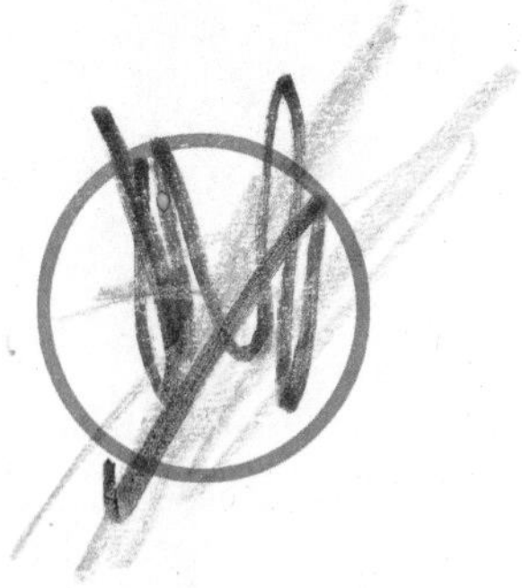

1

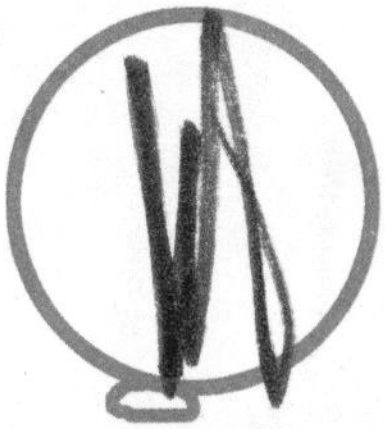

2

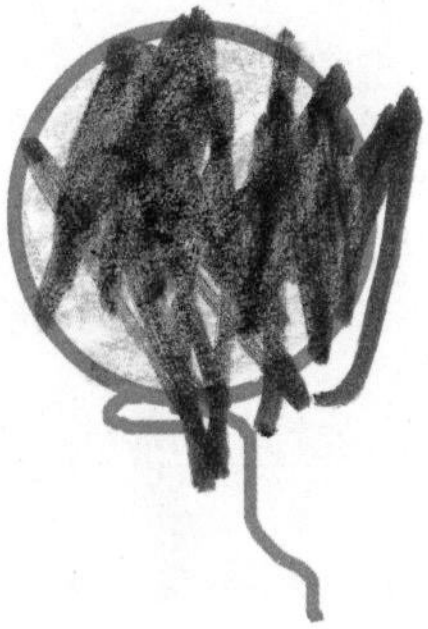

3

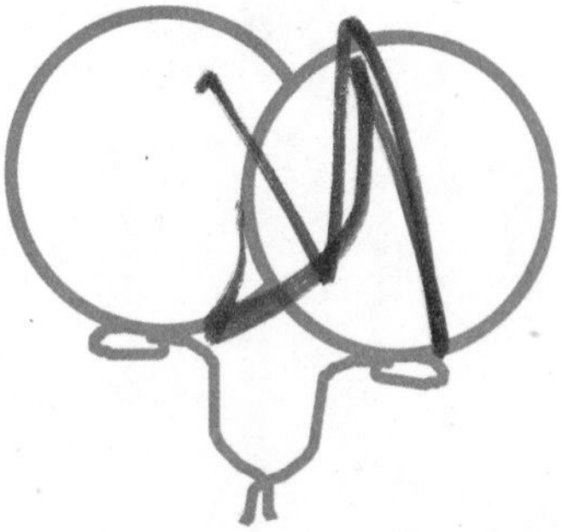

4

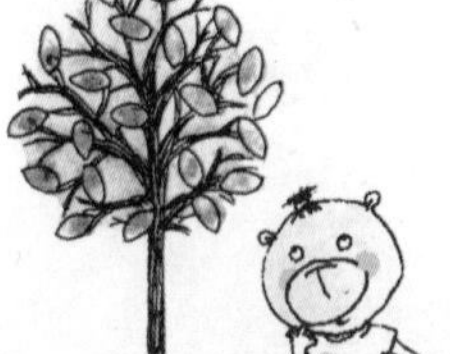

bàng	bàng	táng
棒	棒	糖

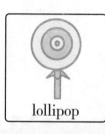

lollipop

请按所标步骤学画图形，并把画好的图填上颜色。

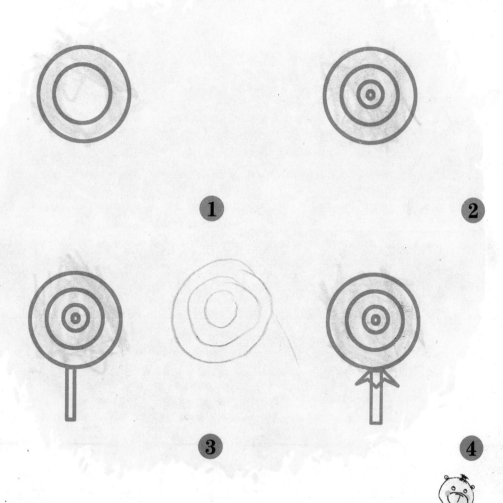

1

2

3

4

请按所标步骤学画图形，并把画好的图填上颜色。

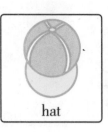

hat

mào	zi
帽	子

1

2

3

4

yǎn	jìng
眼	镜

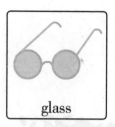

glass

请按所标
步骤学画图形，
并把画好的图
填上颜色。

1

2

3

4

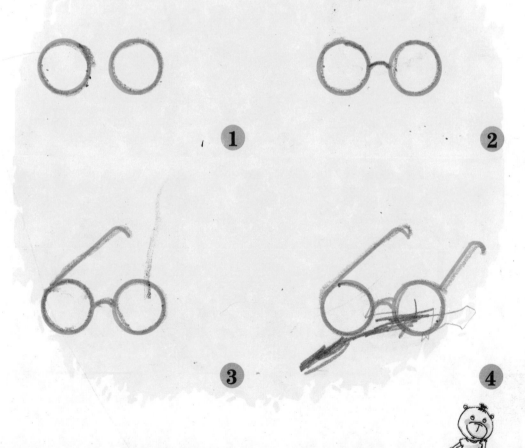

请按所标步骤学画图形，并把画好的图填上颜色。

boy

nán	hái
男	孩

1

2

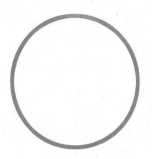

3

4

girl

请按所标步骤学画图形，并把画好的图填上颜色。

1

2

3

4

请按所标步骤学画图形，并把画好的图填上颜色。

man

nán	rén
男	人

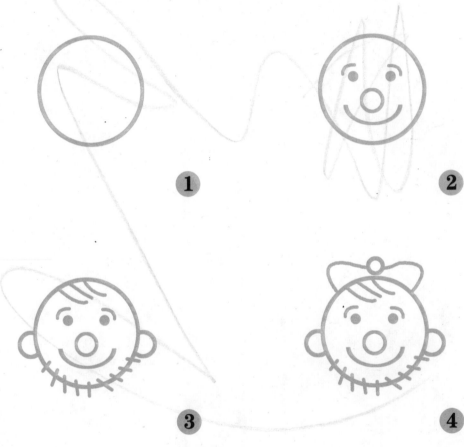

1

2

3

4

yīng　tao

樱桃

cherry

请按所标步骤学画图形，并把画好的图填上颜色。

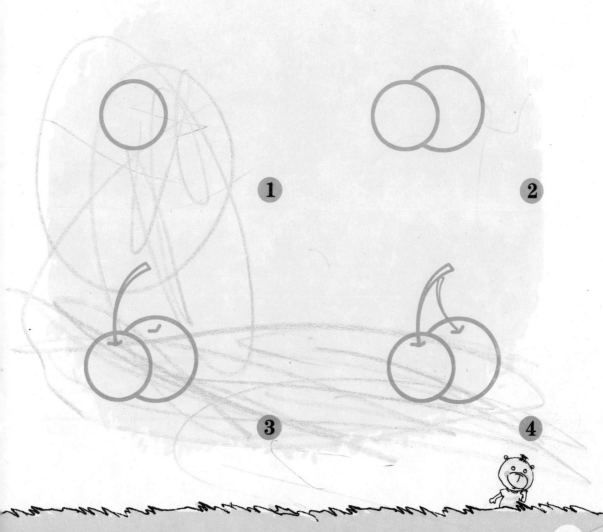

1

2

3

4

请按所标步骤学画图形，并把画好的图填上颜色。

watermelon

xī	guā
西	瓜

1

2

3

4

apple

请按所标步骤学画图形，并把画好的图填上颜色。

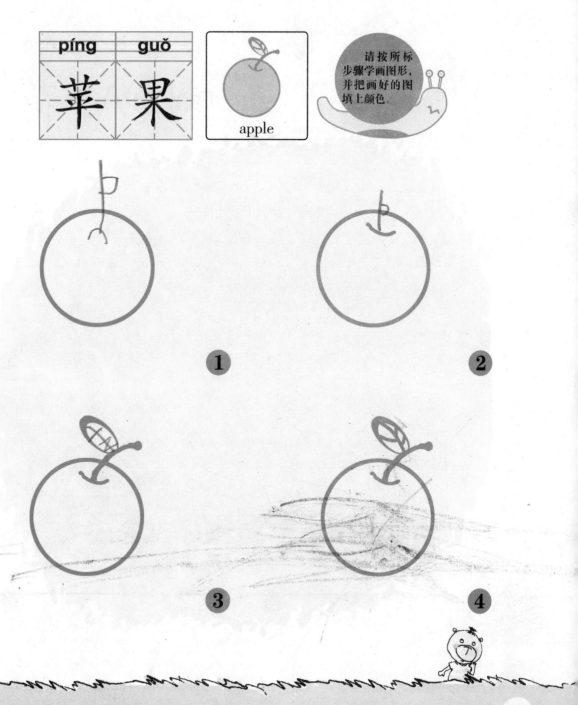

1

2

3

4

 请按所标步骤学画图形，并把画好的图填上颜色。

 morning glory

lǎ	ba	huā
喇	叭	花

1

2

3

4

méi	gui
玫	瑰

rose

请按所标
步骤学画图形，
并把画好的图
填上颜色。

1

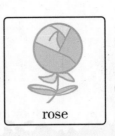

2

3

4

请按所标步骤学画图形，并把画好的图填上颜色。

snowman

xuě	rén
雪	人

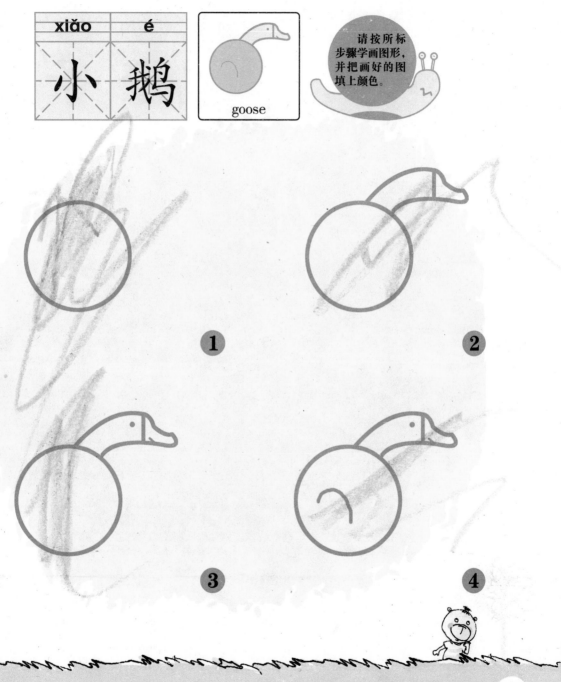

goose

请按所标
步骤学画图形，
并把画好的图
填上颜色。

23

请按所标步骤学画图形，并把画好的图填上颜色。

orange

chéng	zi
橙	子

1

2

3

4

heated-ballon

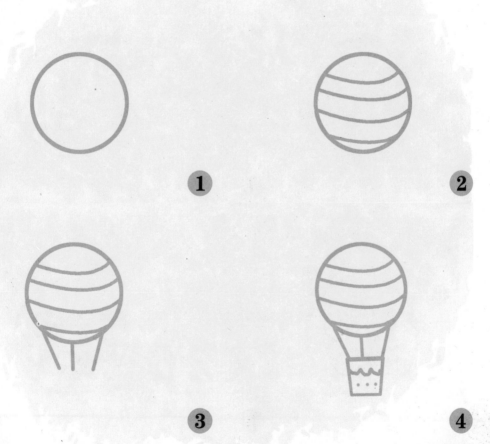

1

2

3

4

请按所标步骤学画图形，并把画好的图填上颜色。

dog

xiǎo　gǒu

小　狗

1

2

3

4

请按所标步骤学画图形，并把画好的图填上颜色。

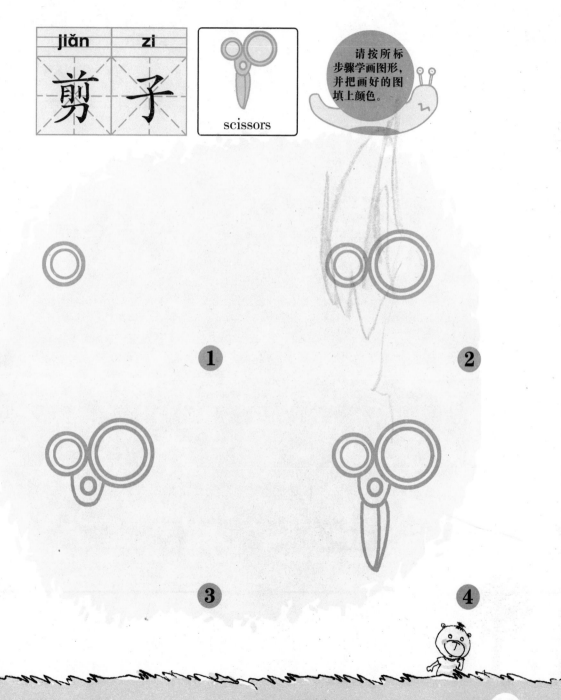

1

2

3

4

请按所标步骤学画图形，并把画好的图填上颜色。

goat

shān	yáng
山	羊

1

2

3

4

niú

牛

cattle

请按所标
步骤学画图形，
并把画好的图
填上颜色。

1

2

3

4

pig

xiǎo　　zhū
小　猪

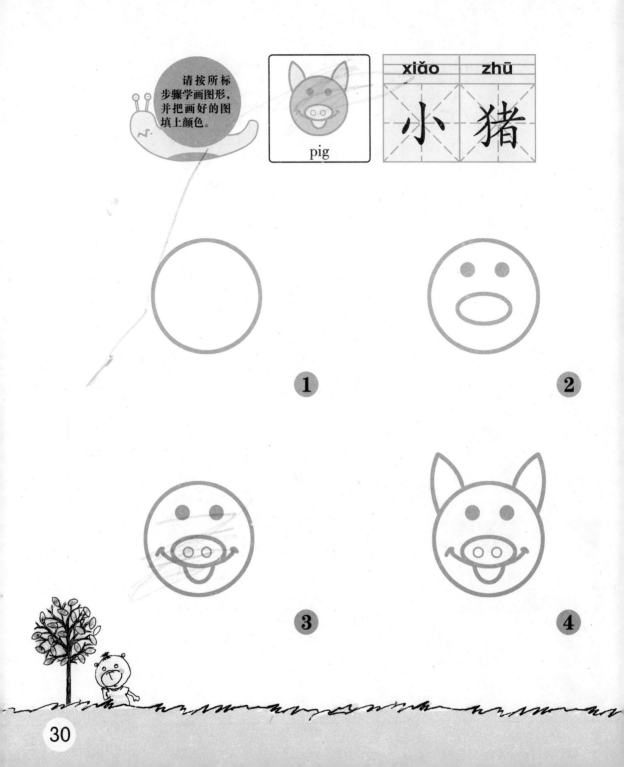

1

2

3

4

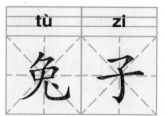

tù　zi

兔　子

rabbit

请按所标步骤学画图形，并把画好的图填上颜色。

1

2

3

4

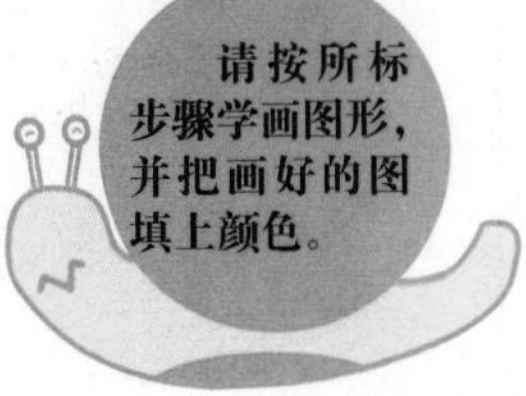

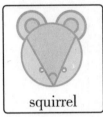

squirrel

松　鼠

1

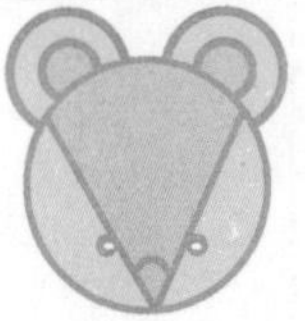

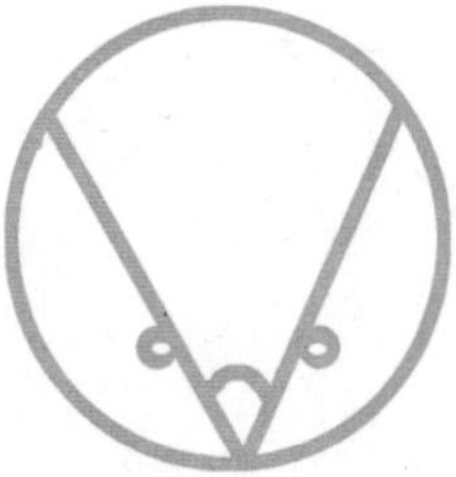

2

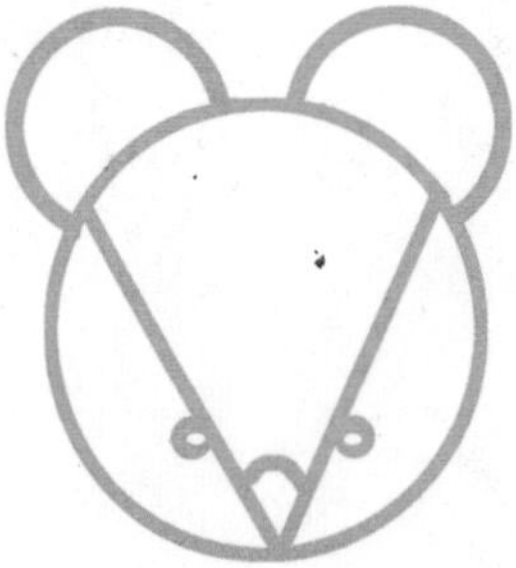

3

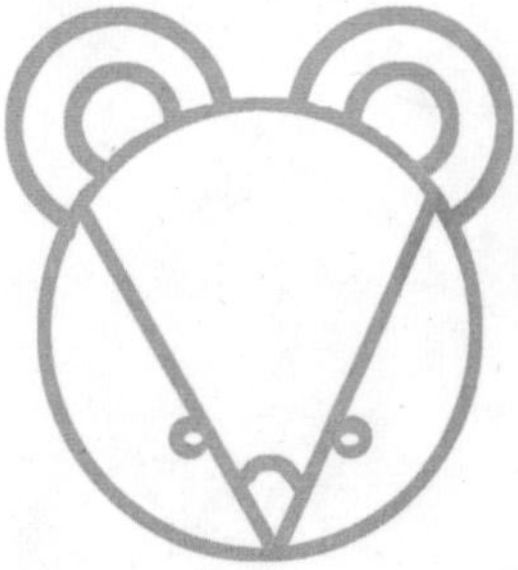

4

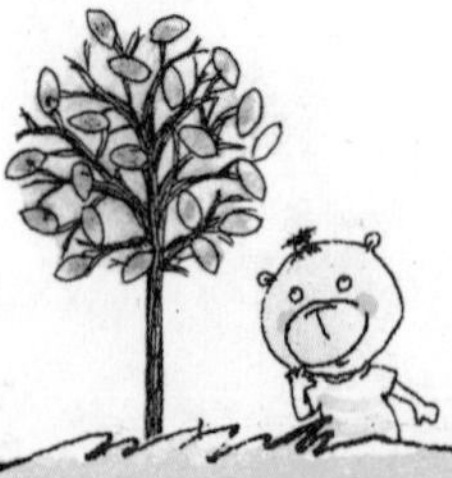

hóu	zi
猴	子

monkey

1

2

3

4

bear

xiǎo	xióng
小	熊

1

2

3

4

34

xióng	māo
熊	猫

panda

请按所标步骤学画图形，并把画好的图填上颜色。

1

2

3

4

35

请按所标步骤学画图形，并把画好的图填上颜色。

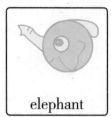
elephant

1

2

3

4

请按所标步骤学画图形，并把画好的图填上颜色。

1

2

3

4

请按所标步骤学画图形，并把画好的图填上颜色。

tiger

lǎo　　hǔ

老　虎

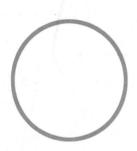

1

2

3

4

giraffe

请按所标步骤学画图形，并把画好的图填上颜色。

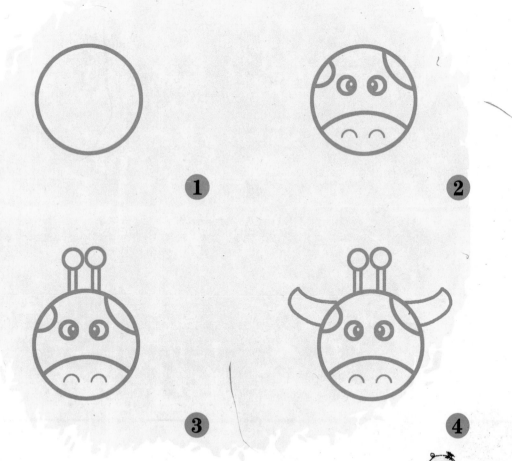

①

②

③

④

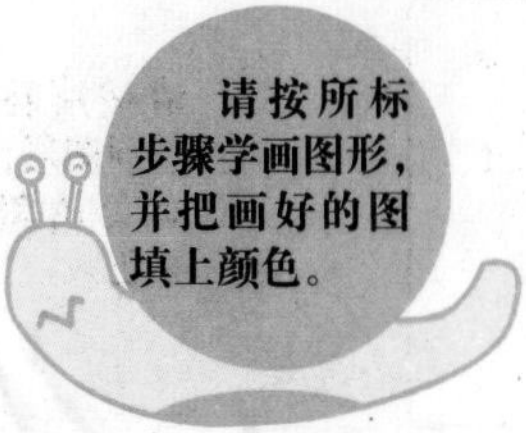

请按所标步骤学画图形，并把画好的图填上颜色。

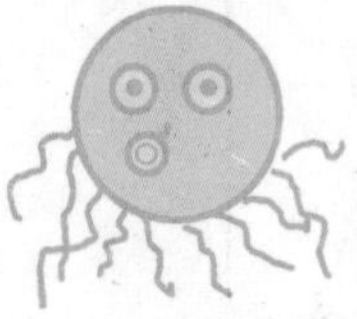

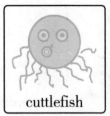

cuttlefish

wū zéi

乌 贼

1

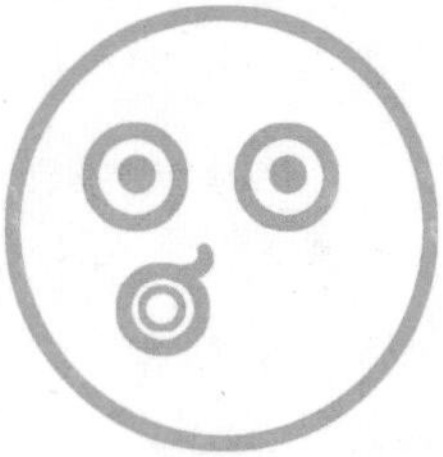

2

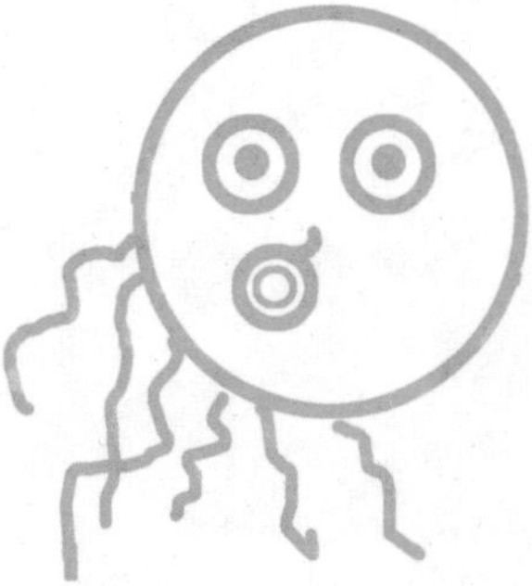

3

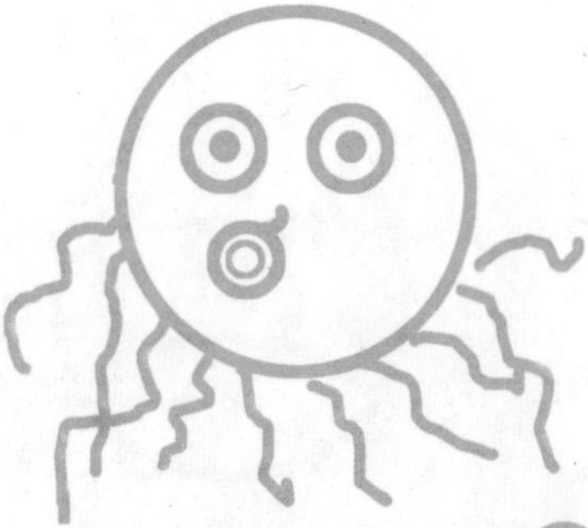

4

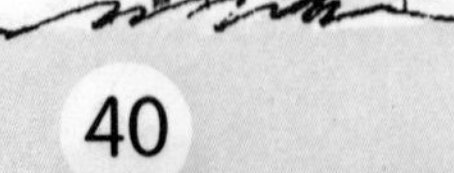

rè dài yú

热 带 鱼

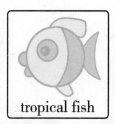

tropical fish

请按所标
步骤学画图形，
并把画好的图
填上颜色。

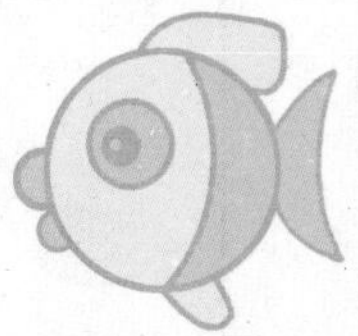

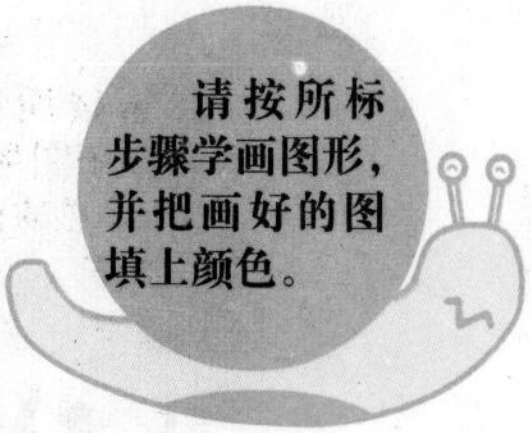

1

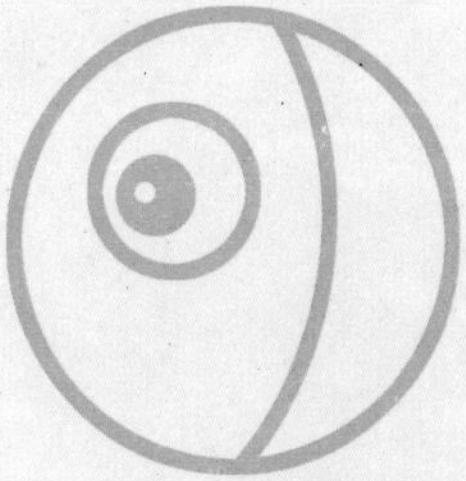

2

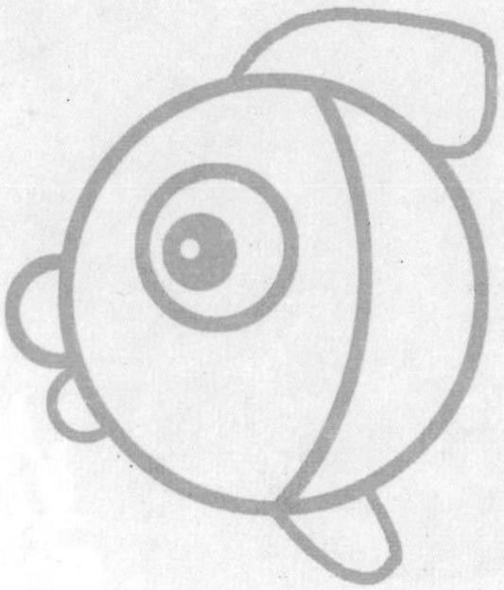

3

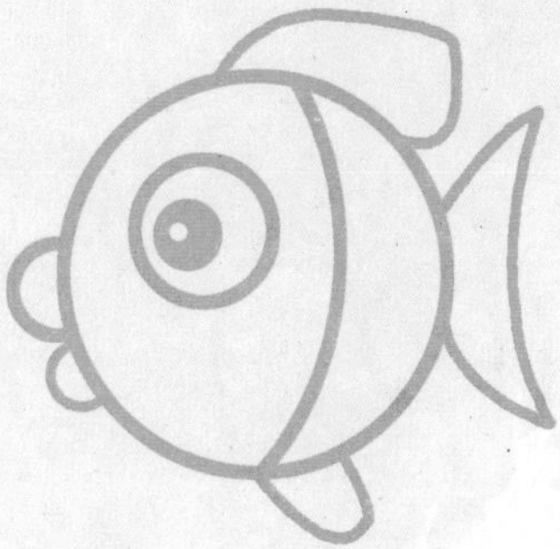

4

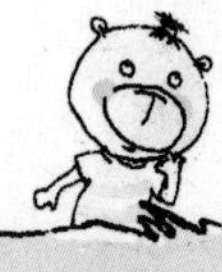

请按所标步骤学画图形，并把画好的图填上颜色。

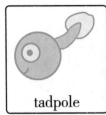

tadpole

kē	dǒu
蝌	蚪

1

2

3

4

qǐ é

企鹅

penguin

请按所标
步骤学画图形，
并把画好的图
填上颜色。

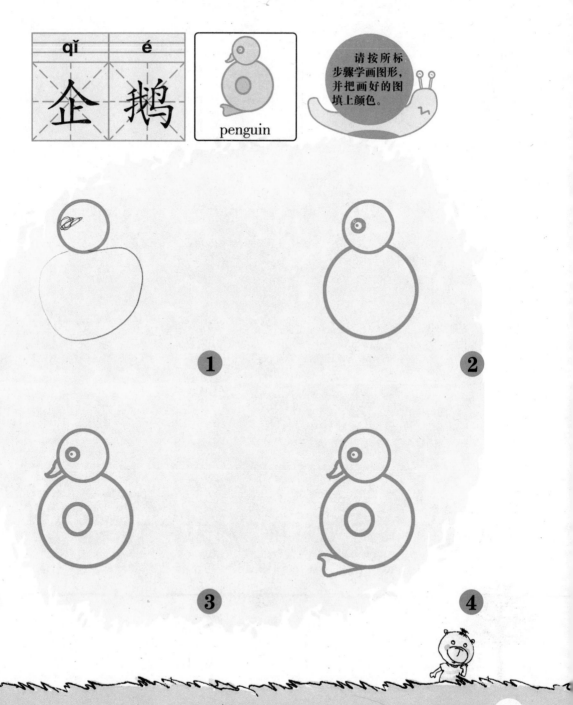

1

2

3

4

请按所标步骤学画图形，并把画好的图填上颜色。

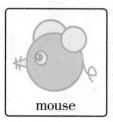

mouse

lǎo	shǔ
老	鼠

1

2

3

4

xiǎo	niǎo
小	鸟

bird

请按所标步骤学画图形，并把画好的图填上颜色。

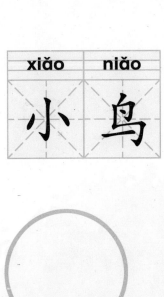

1

2

3

4

sun

tài　yáng

太阳

1

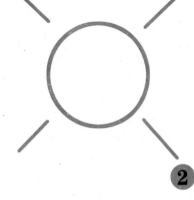

2

3

4

提高篇

请按所标步骤学画图形,并把画好的图填上颜色。

pineapple

bō	luó
菠	萝

1

2

3

4

5

6

bāo	xīn	cài
包	心	菜

cabbage

请按所标步骤学画图形，并把画好的图填上颜色。

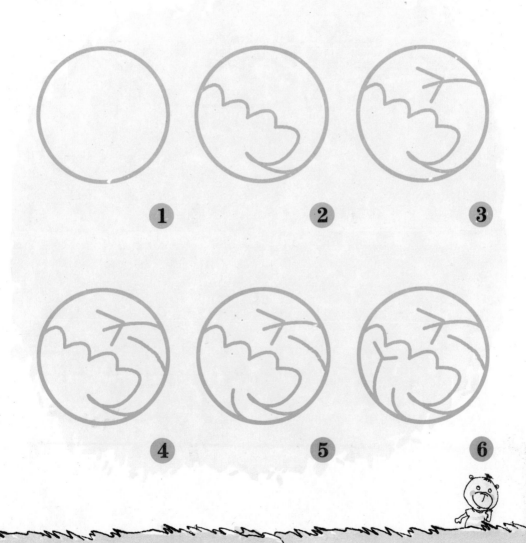

① ② ③

④ ⑤ ⑥

请按所标步骤学画图形，并把画好的图填上颜色。

pumpkin

nán	guā
南	瓜

①

②

③

④

⑤

⑥

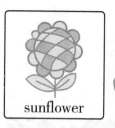

sunflower

请按所标步骤学画图形，并把画好的图填上颜色。

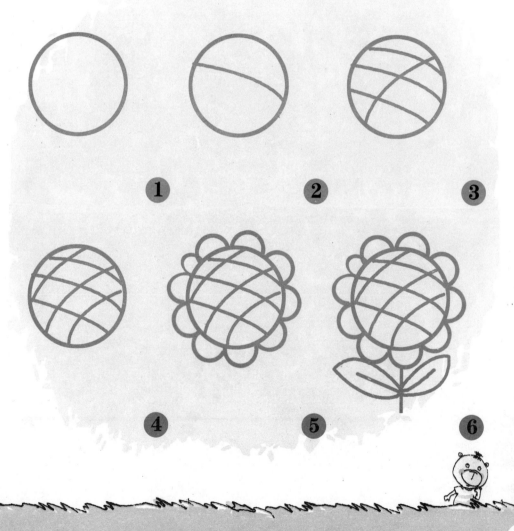

① ② ③

④ ⑤ ⑥

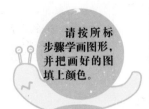

chicken

1   **2**   **3**

4   **5**   **6**

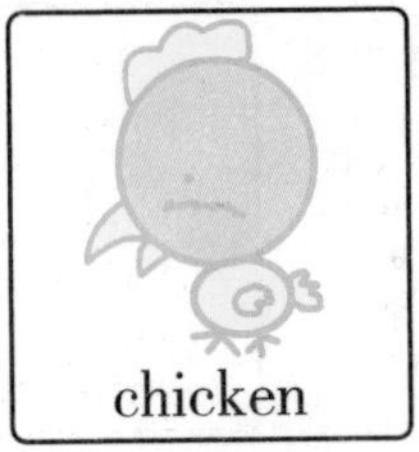

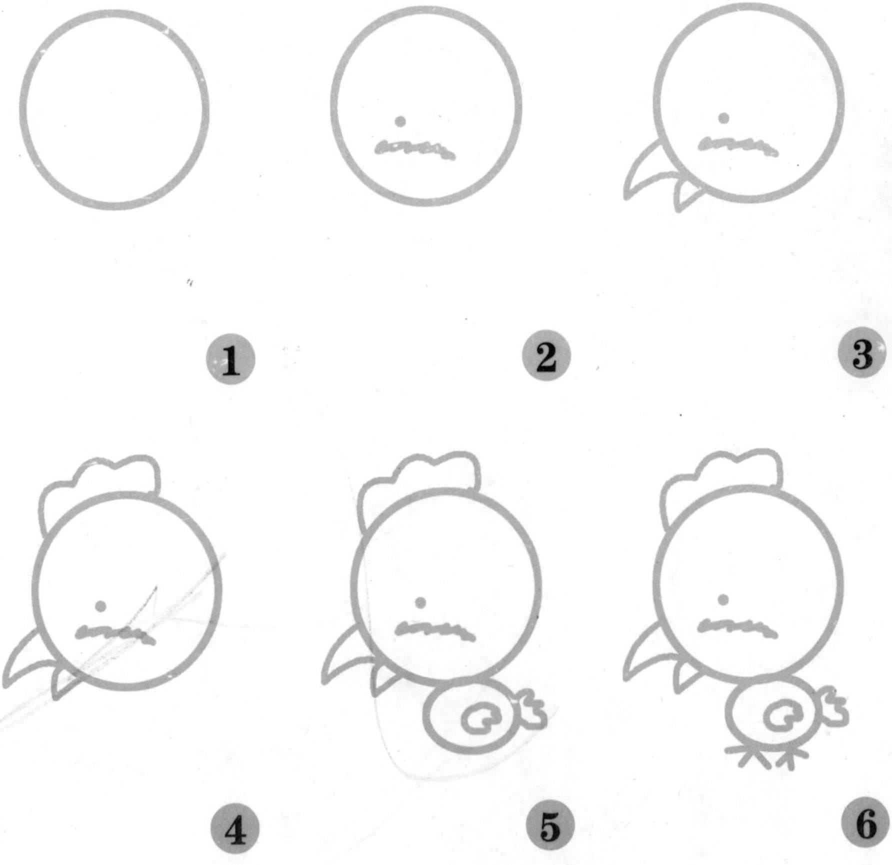

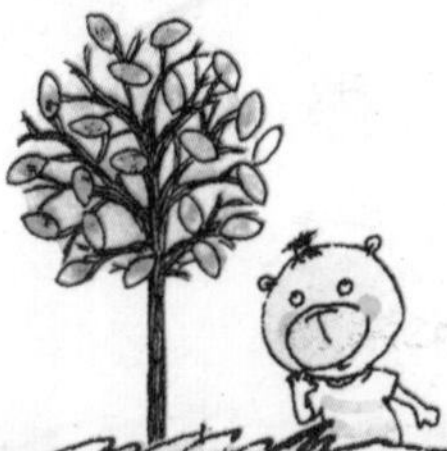

母　鸡

hen

请按所标
步骤学画图形，
并把画好的图
填上颜色。

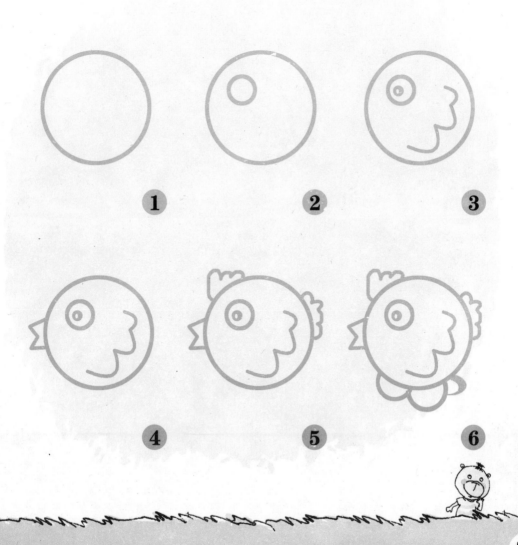

1

2

3

4

5

6

请按所标步骤学画图形，并把画好的图填上颜色。

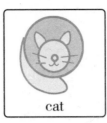

cat

xiǎo	māo
小	猫

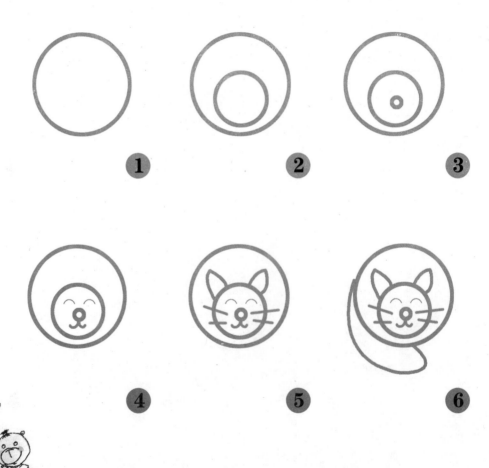

①　②　③

④　⑤　⑥

pig

请按所标步骤学画图形，并把画好的图填上颜色。

① ② ③

④ ⑤ ⑥

horse

xiǎo　mǎ

小　马

1　**2**　**3**

4　**5**　**6**

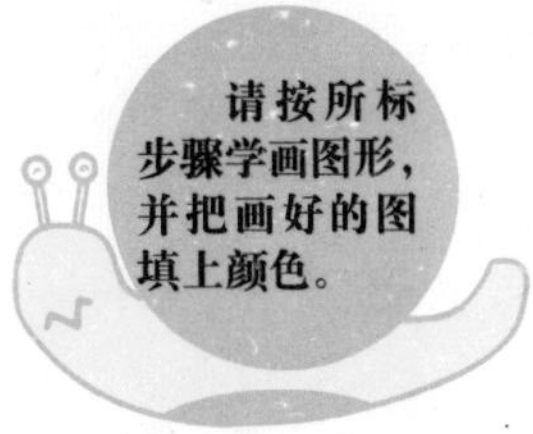

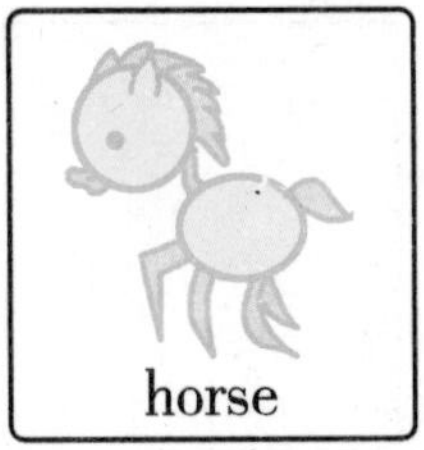

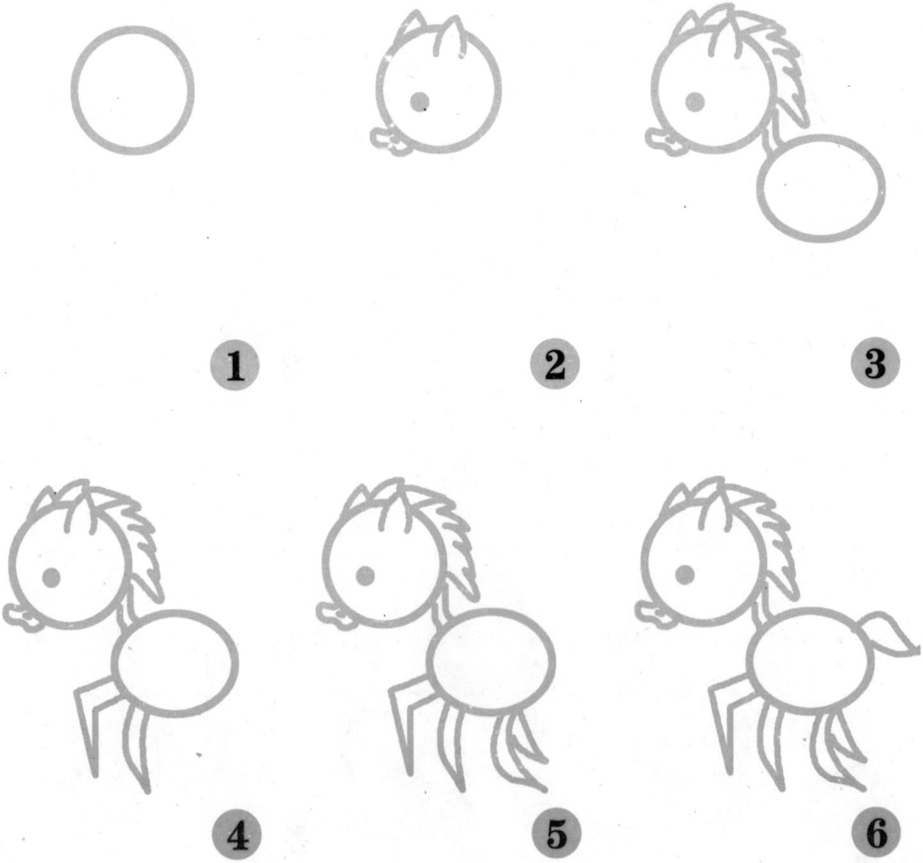

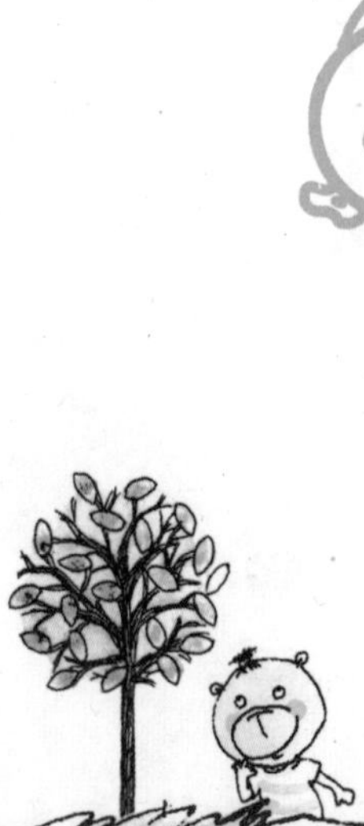

tù zi

兔 子

rabbit

请按所标
步骤学画图形，
并把画好的图
填上颜色。

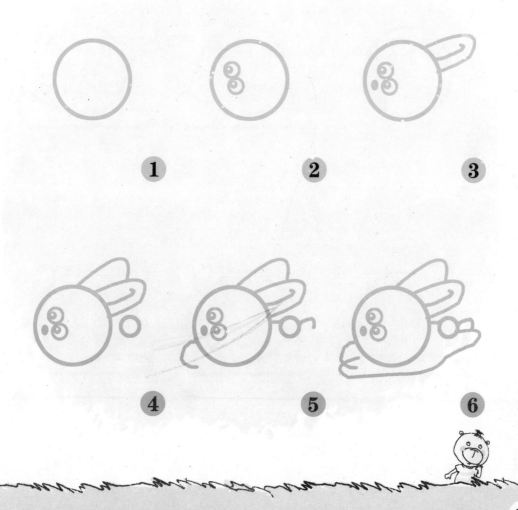

1

2

3

4

5

6

请按所标步骤学画图形，并把画好的图填上颜色。

snail

wō　niú

蜗 牛

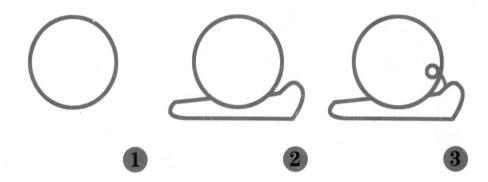

① ② ③

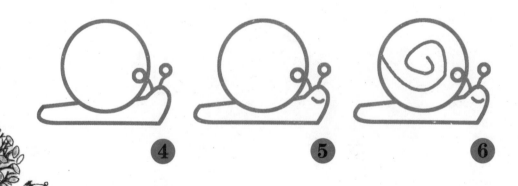

④ ⑤ ⑥

spider

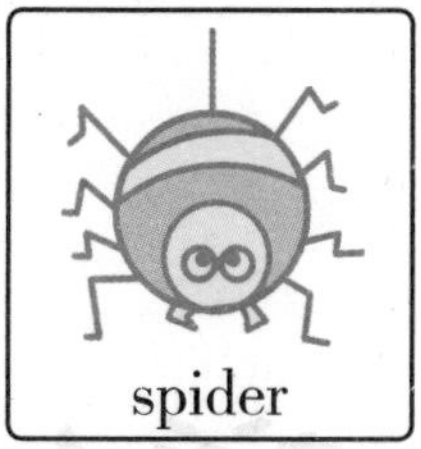

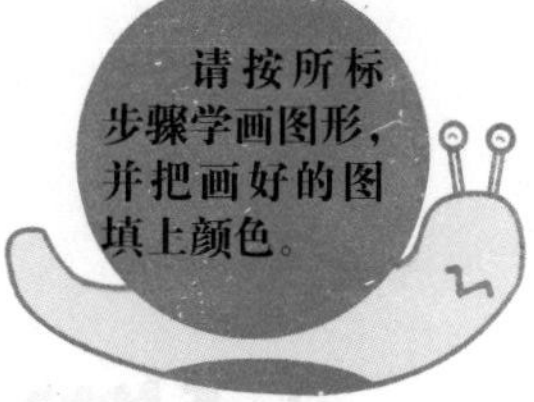

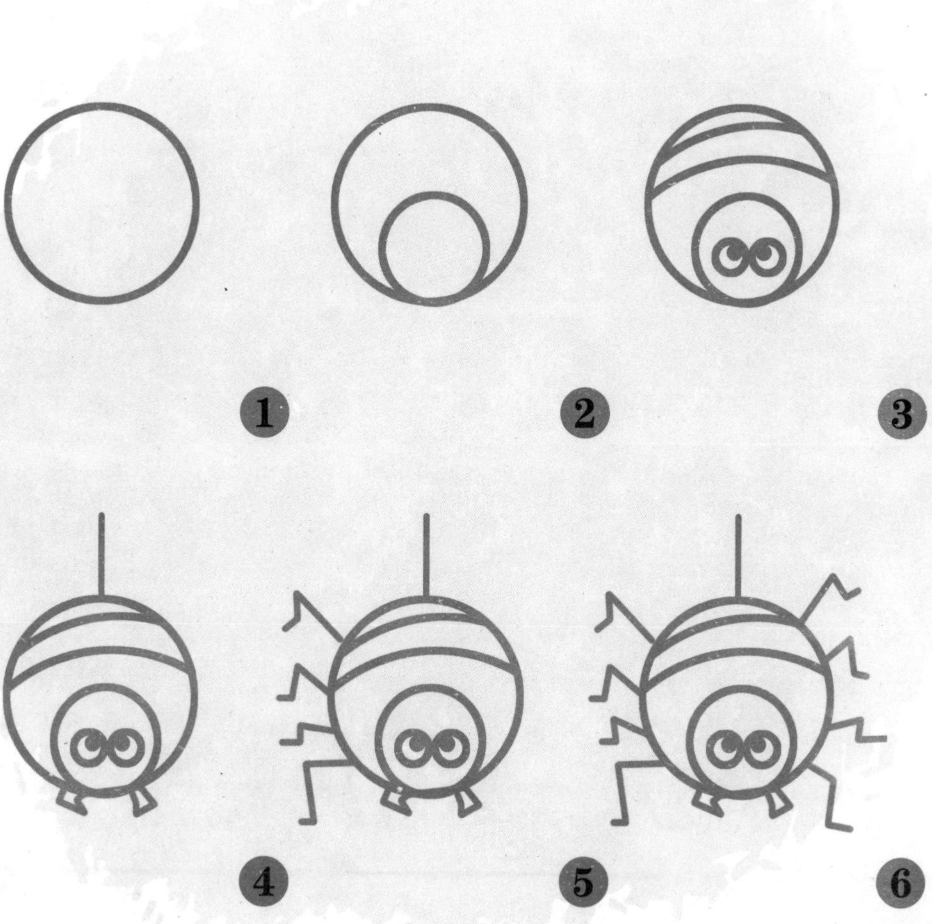

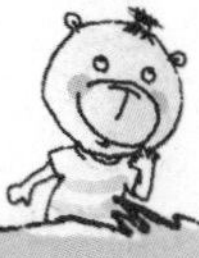

请按所标
步骤学画图形，
并把画好的图
填上颜色。

ladybug

piáo	chóng
瓢	虫

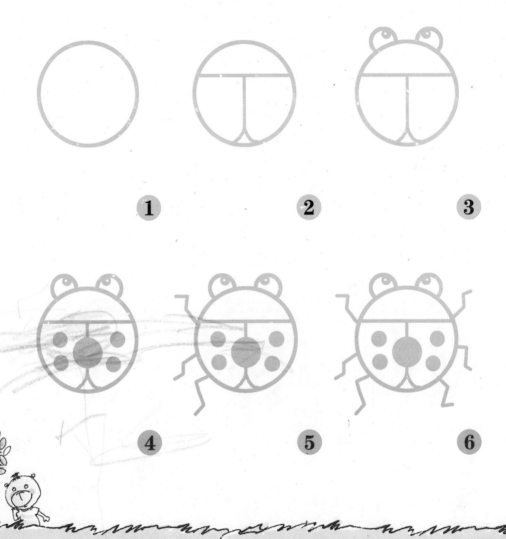

jiǎ chóng

甲虫

beetle

请按所标
步骤学画图形，
并把画好的图
填上颜色。

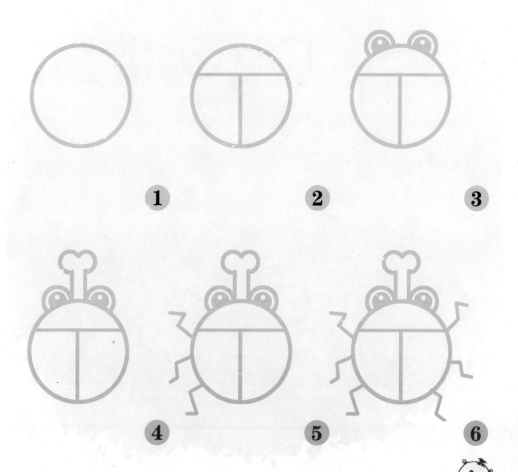

1

2

3

4

5

6

请按所标步骤学画图形，并把画好的图填上颜色。

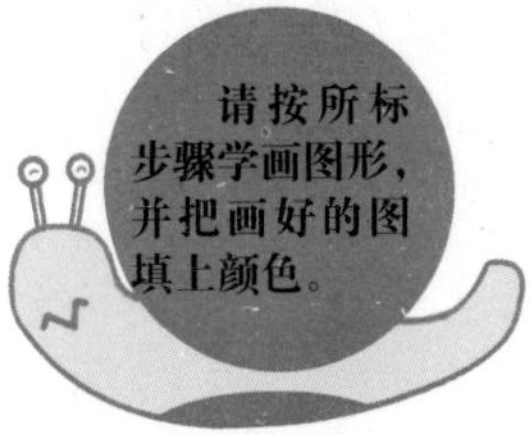

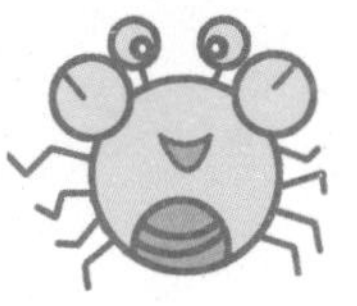

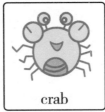

crab

páng	xiè
螃	蟹

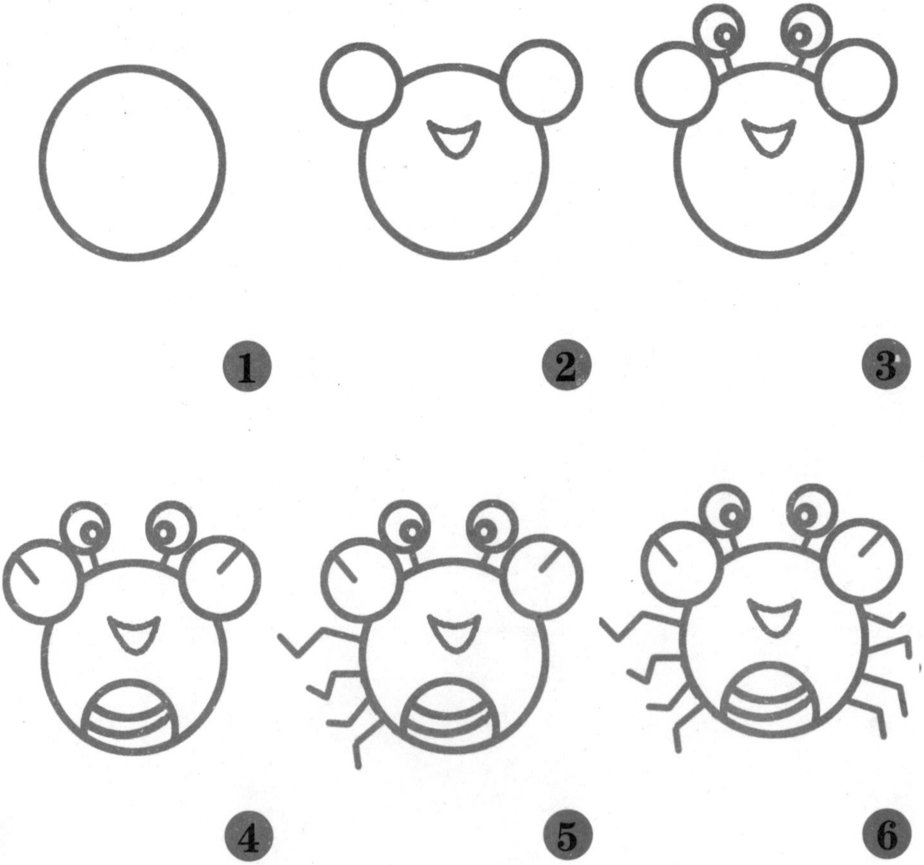

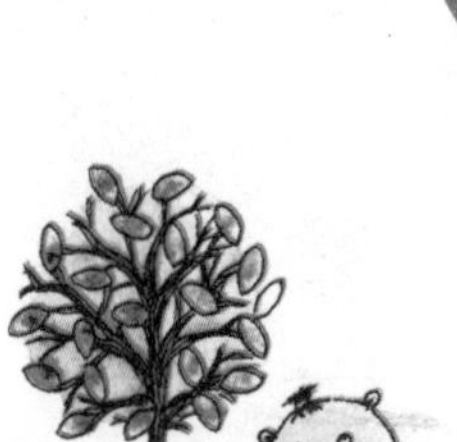

gē	zi
鸽	子

pigeon

请按所标步骤学画图形，并把画好的图填上颜色。

1

2

3

4

5

6

mosquito

wén	zi
蚊	子

1

2

3

4

5

6

sōng shǔ

松 鼠

squirrel

请按所标步骤学画图形，并把画好的图填上颜色。

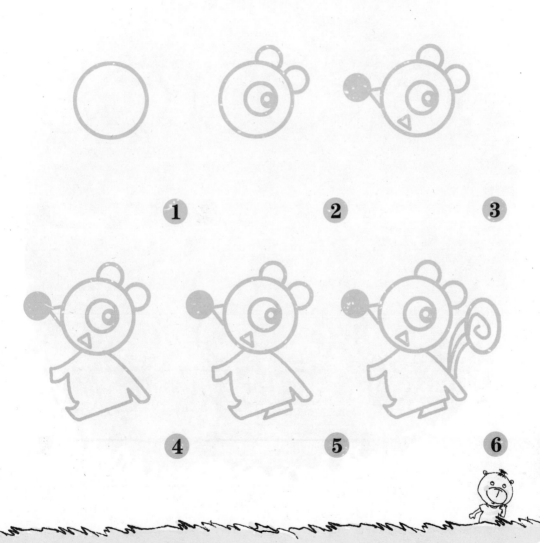

1

2

3

4

5

6

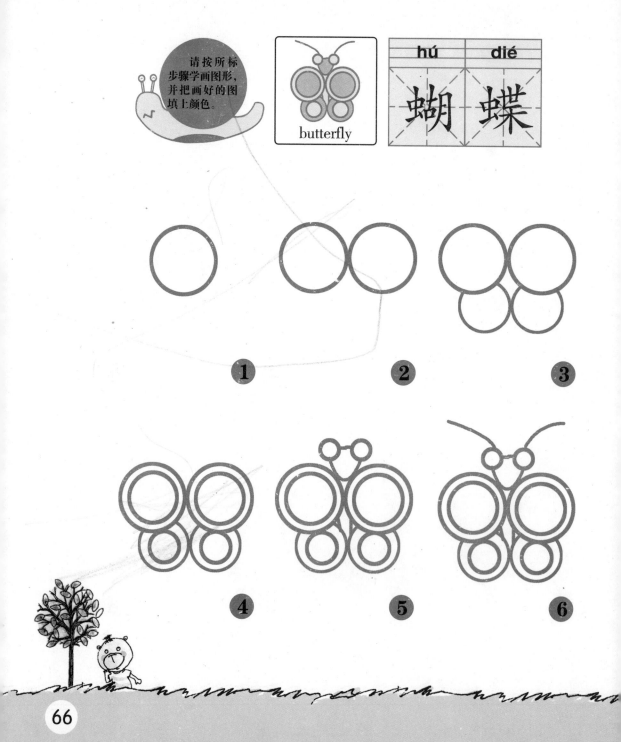

请按所标步骤学画图形，并把画好的图填上颜色。

butterfly

hú	dié
蝴	蝶

1 **2** **3**

4 **5** **6**

qīng	wā
青	蛙

frog

请按所标步骤学画图形，并把画好的图填上颜色。

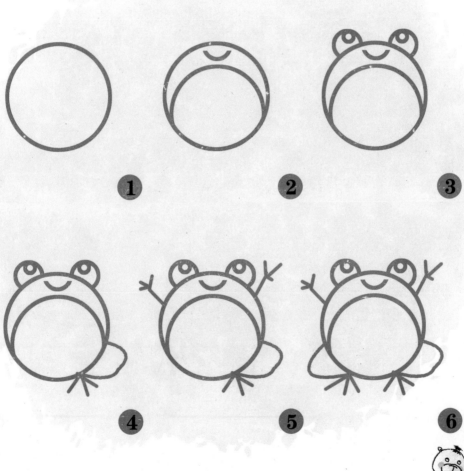

1

2

3

4

5

6

owl

māo	tóu	yīng
猫	头	鹰

1

2

3

4

5

6

lǎo hǔ

老虎

tiger

请按所标步骤学画图形，并把画好的图填上颜色。

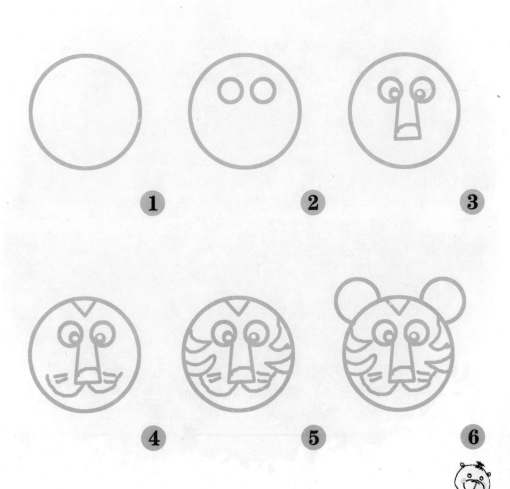

1

2

3

4

5

6

dacentrurus

剑　龙

1　　2　　3

4　　5　　6

xiǎo	xióng
小	熊

bear

请按所标
步骤学画图形，
并把画好的图
填上颜色。

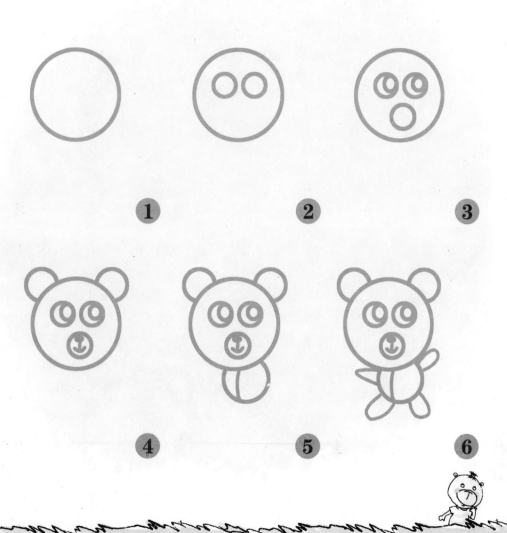

① ② ③

④ ⑤ ⑥

请按所标步骤学画图形，并把画好的图填上颜色。

panda

xióng	māo
熊	猫

1　　**2**　　**3**

4　　**5**　　**6**

water buffalo

请按所标
步骤学画图形，
并把画好的图
填上颜色。

1

2

3

4

5

6

elephant

1

2

3

4

5

6

carp

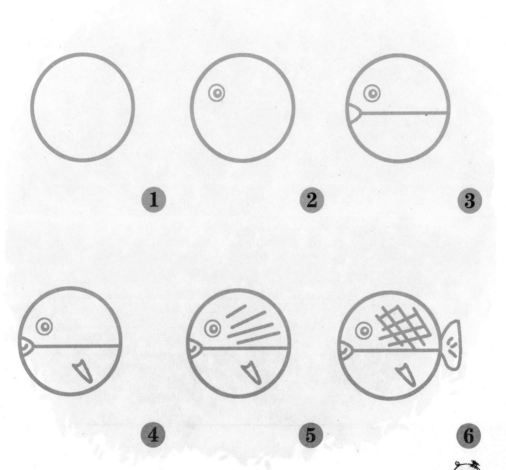

1

2

3

4

5

6

请按所标步骤学画图形，并把画好的图填上颜色。

tropical fish

rè	dài	yú
热	带	鱼

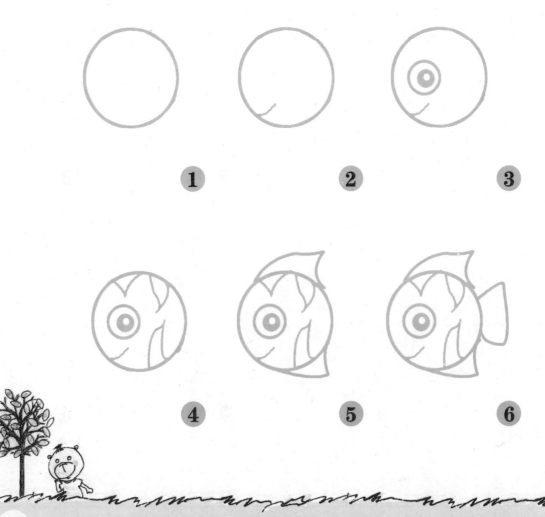

① ② ③

④ ⑤ ⑥

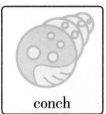

conch

请按所标步骤学画图形，并把画好的图填上颜色。

1 2 3

4 5 6

mouse

lǎo	shǔ
老	鼠

1

2

3

4

5

6

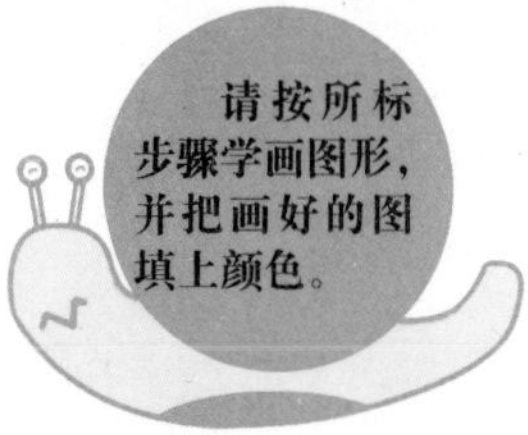

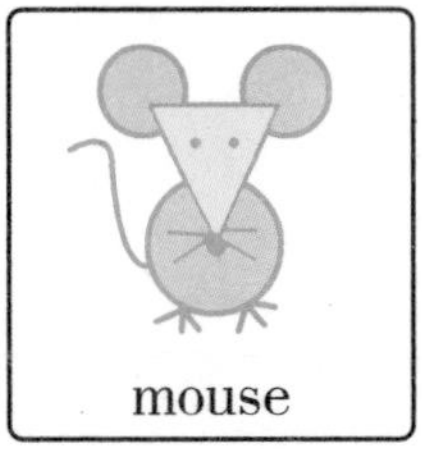

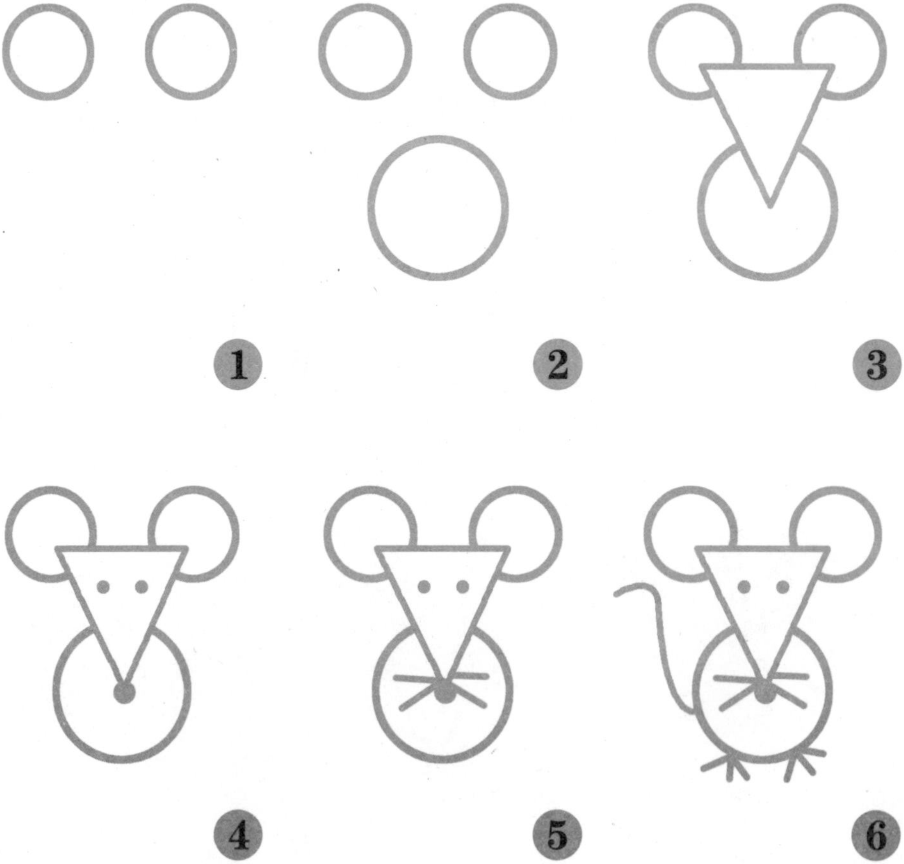

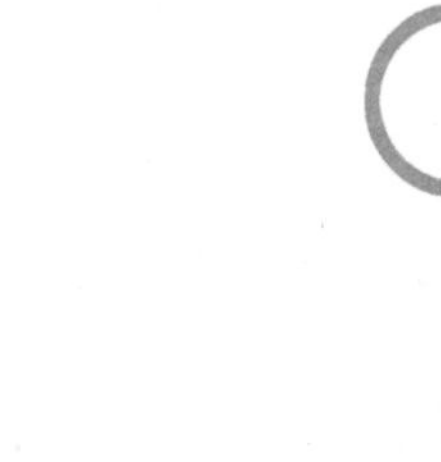

tortoise

请按所标步骤学画图形，并把画好的图填上颜色。

1

2

3

4

5

6

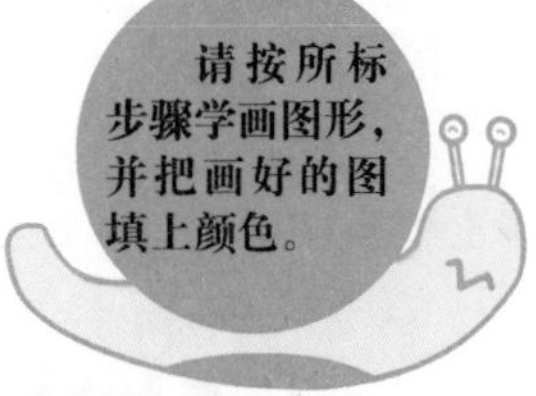

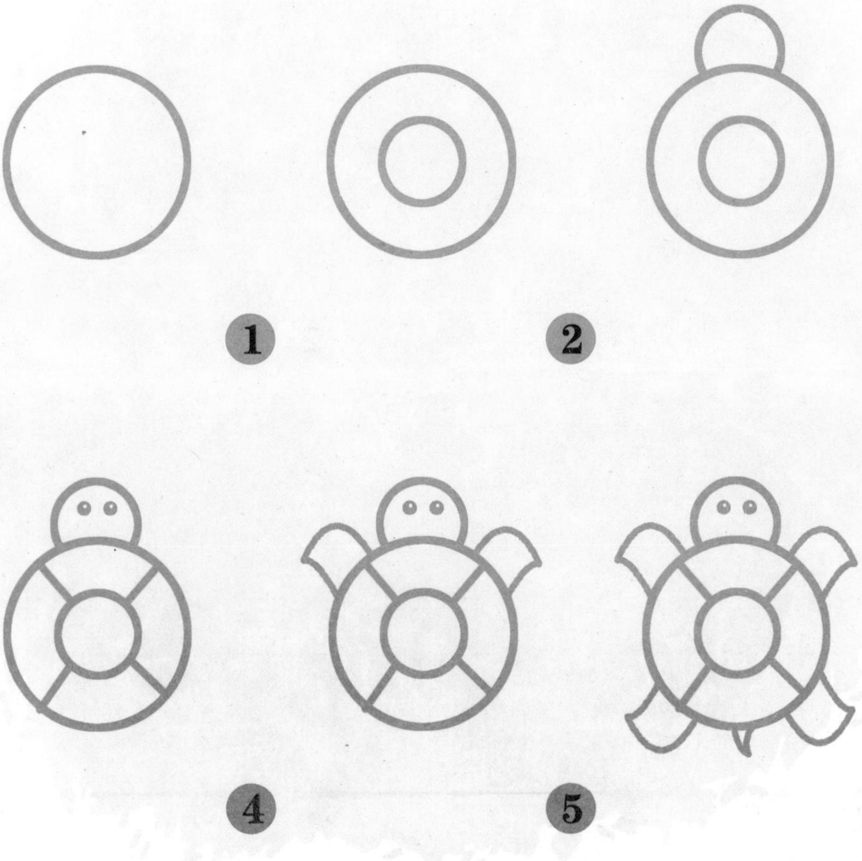

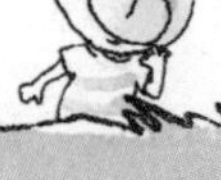

请按所标步骤学画图形，并把画好的图填上颜色。

bike

zì	xíng	chē
自	行	车

1　　　　**2**　　　　**3**

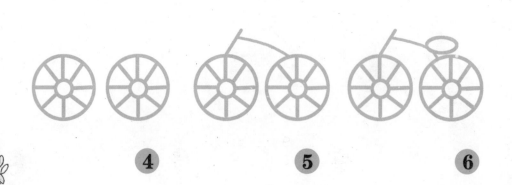

4　　　　**5**　　　　**6**

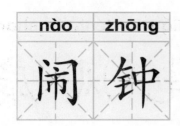

nào　zhōng

闹 钟

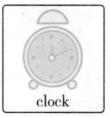

clock

请按所标
步骤学画图形，
并把画好的图
填上颜色。

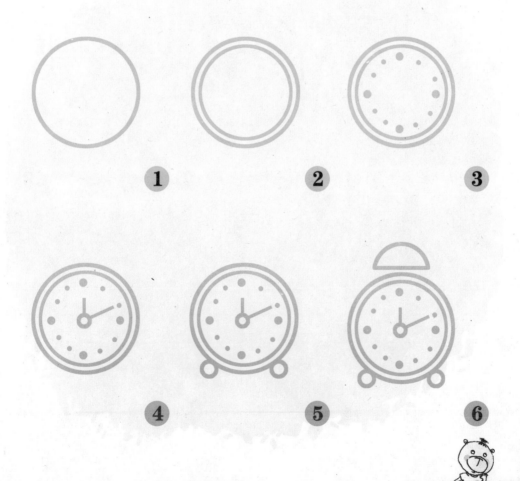

1　　**2**　　**3**

4　　**5**　　**6**

fan

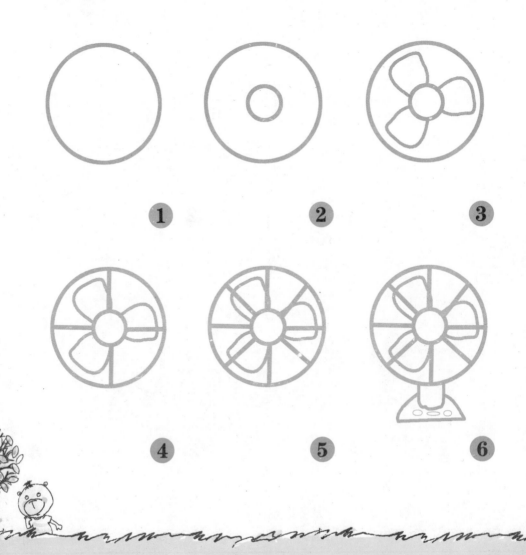

1　　2　　3

4　　5　　6

globe

请按所标步骤学画图形，并把画好的图填上颜色。

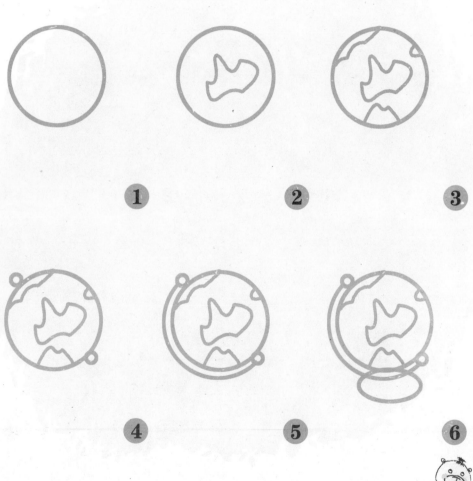

locomotive

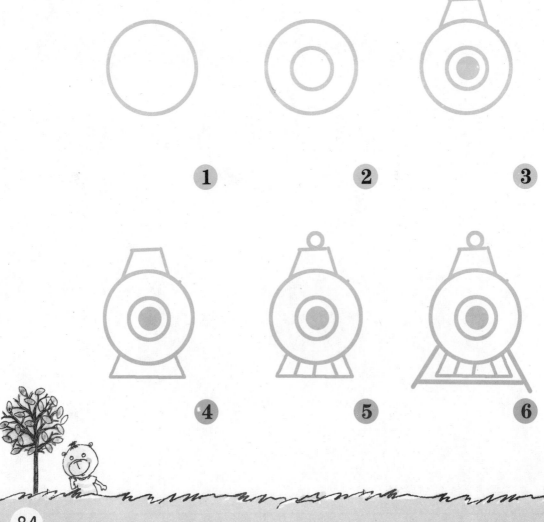

1

2

3

4

5

6

84

mó	tiān	lún

摩天轮

Ferris wheel

请按所标步骤学画图形，并把画好的图填上颜色。

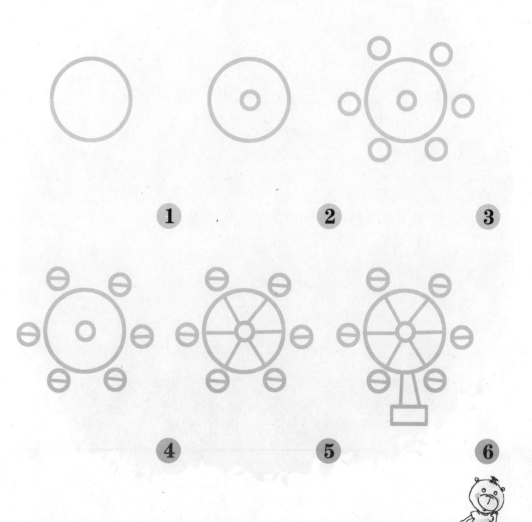

1

2

3

4

5

6

85

请按所标步骤学画图形，并把画好的图填上颜色。

helicopter

zhí	shēng	jī
直	升	机

1

2

3

4

5

6

flying saucer

请按所标
步骤学画图形，
并把画好的图
填上颜色。

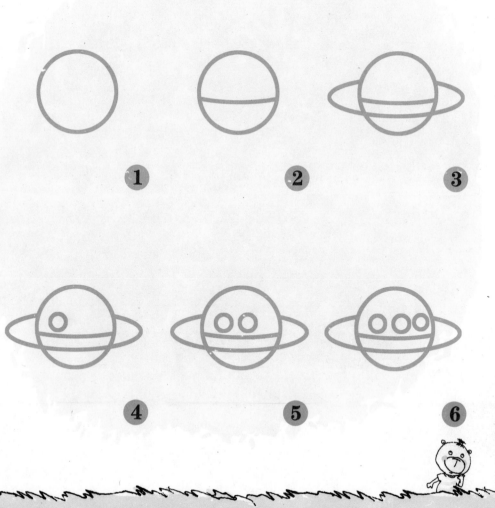

1

2

3

4

5

6

组合画:动物的节日

组合画:我爱我家

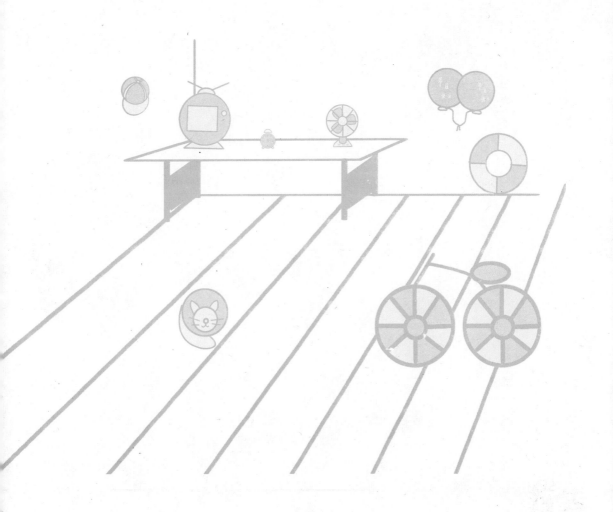

组合画:动物天地

画上你满意的画

画上你满意的画